لڑکی جس کو کتابوں سے نفرت تھی

The Girl Who Hated Books

by Manjusha Pawagi

Illustrated by Leanne Franson

Urdu Translation by Qamar Zamani

mantra

ایک دفعہ ایک لڑکی تھی جس کا نام مینا تھا ۔ اس کو پڑھنے سے نفرت تھی ۔ اور وہ کتابوں سے بھی نفرت کرتی تھی ۔ " یہ ہر وقت راستے میں پڑی رہتی ہیں ،، وہ کہتی تھی ۔ اور یہ واقعی سچ تھا ! اس کے گھر میں ہر جگہ کتابیں ہی کتابیں تھیں ۔ نہ صرف کتابوں کی الماری میں جہاں کتابیں عام طور سے پائی جاتی ہیں بلکہ ان جگہوں پر بھی جہاں کتابیں کبھی نہیں ہوتیں ۔ یہاں تک کہ غسل خانے کے ٹب اور باورچی خانے کی برتن دھونے کی جگہ پر بھی کتابیں ملتی تھیں !

Once there was a girl named Meena. She hated to read and she hated books.

"They're always in the way," she said. And this was true! In her house books were everywhere. Not just on bookshelves where books usually are, but in all sorts of places where books usually aren't. There were even books in the bathtub and books in the sink!

اور سونے پر سہاگہ یہ کہ مینا کے والدین ہمیشہ اور زیادہ کتابیں گھر لاتے ہی رہتے تھے۔ وہ کتابیں خریدتے تھے، کتابیں ادھار لیتے تھے اور کیٹیلوگ سے مزید کتابیں منگواتے رہتے تھے۔
لیکن جب بھی وہ مینا سے پوچھتے کہ کیا وہ کتاب پڑھے گی تو مینا اپنے پیر پٹختی اور چلا کر کہتی "مجھے کتابوں سے نفرت ہے!"
مینا سے بھی زیادہ اگر کسی کو کتابوں سے نفرت تھی تو وہ اس کے بلّے کو جس کا نام میکس تھا۔ جب وہ ایک چھوٹا سا بچہ تھا تو اس کی دُم پر نقشوں کی موٹی کتاب گر گئی اور نوک ٹیڑھی ہوگئی اس دن سے میکس کتابوں کے اوپر ہی رہنے کی کوشش کرتا تھا۔ ان کے نیچے نہیں۔

Worse still, Meena's parents were always bringing home MORE books. They bought books and borrowed books and ordered books from catalogues.

But when they asked Meena if she wanted to read, she would stamp her feet and shout, "I hate books!"

The only one who hated books more than Meena was her cat, Max. When he was a kitten, an atlas fell on his tail and bent the tip. Ever since, Max tried to stay on top of the books, rather than below them.

ایک صبح مینا اپنے اور میکس کے لئے ناشتہ بنانے باورچی خانے میں گئی ۔ سب
سے پہلے اس کو معلوماتی کتابوں کے پہاڑ پر چڑھ کر ناشتے کے ڈبے تک پہنچنا پڑا ۔
پھر اس نے فرتج کھولا اور کتابوں کے ایک ڈھیر کو ہٹا کر دودھ نکالا ۔
" میکس ! " اس نے پکارا ۔ " ناشتہ تیار ہے ! "
لیکن میکس نہیں آیا ۔ " وہ کہاں جا سکتا ہے ؟ " وہ تعجب میں پڑ گئی ۔
دفعتاً اس نے ایک زوردار " میاؤوں " سُنی !

One morning Meena went to the kitchen to make breakfast
for herself and Max. First she climbed onto a stack of
encyclopedias to reach the cereal. Then she opened the fridge,
and moved a pile of books to get the milk.

"Max!" she called. "Breakfast is ready!"

But Max didn't come. "Where can he be?" she wondered.
Suddenly she heard a loud "Meeeeyooow!"

BOOK CLUB
MAX

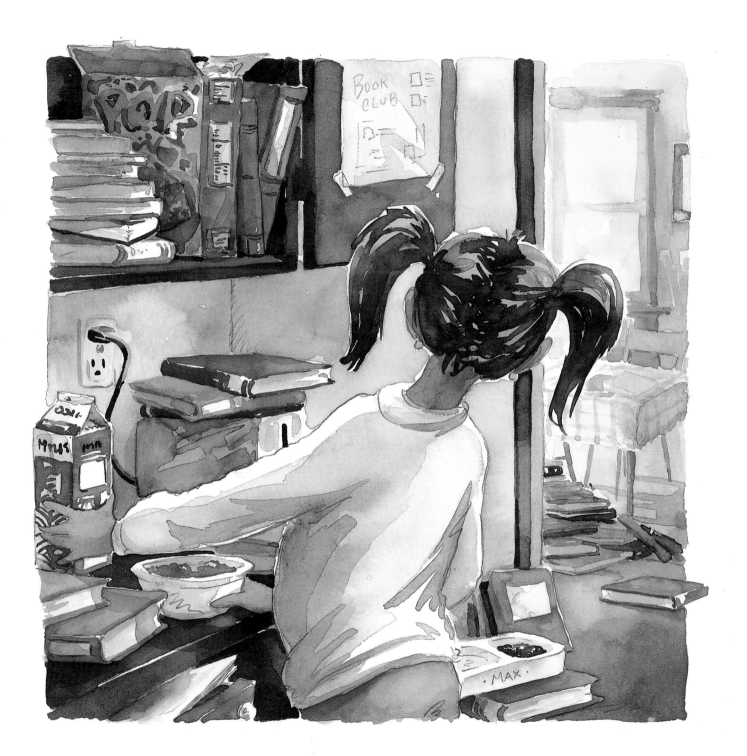

وہ کھانے کے کمرے کی طرف دوڑ کر گئی اور میکس وہاں مل گیا لیکن بہت اونچے کتابوں کے ڈھیر کے اوپر پھنسا ہوا ۔ یہ سب وہ کتابیں تھیں جو اس کے ماں باپ نے اس کے لئے خریدی تھیں اور مینا نے ان کو پڑھنے سے صاف انکار کر دیا تھا ۔

" میکس گھبرانا نہیں ،" مینا نے اس سے پکار کر کہا ۔ " میں تمہیں بچالوں گی !" اس نے کتابوں کے ڈھیر پر چڑھنا شروع کر دیا ۔

شروع میں تو ذرا آسان تھا کیونکہ تصویروں کی کتابوں کے سرورق سخت اور موٹے تھے لیکن جب وہ کاغذ کے سرورق والی کتابوں تک پہنچی تو اس کا پیر پھسل گیا ۔

She ran into the dining room and there he was, stuck on top of the tallest pile of books in the house. They were all the books her parents had bought her and she had refused to read.

"Don't worry Max," Meena called up to him. "I'll save you!" She started to climb the pile of books. At first it was easy because the picture books had hard covers, but when she reached the paperbacks her foot slipped.

زور دار دھماکہ ! کتابیں ہوا میں اُڑ رہی تھیں ۔ وہ پہلی بار کھلیں اور ان کے ورق ہوا میں پھڑ پھڑانے لگے ۔ جب وہ زمین پر گریں تو عجیب حیرت انگیز واقعات ہونے لگے ۔

سب سے پہلے انسان اور اس کے بعد جانور کتابوں کے صفحوں سے نکل کر باہر آگئے اور زمین پر لڑھکنے لگے ۔

CRASH! The books went flying. They fell open for the first time and the pages flipped apart. As they landed strange things began to happen.

First people, then animals started falling out of the pages and tumbling to the ground.

ان میں شہزادے ، شہزادیاں ، پریاں اور مینڈک بھی شامل ہو گئے ۔ پھر ایک بھیڑیا ، تین سوٗر اور ایک دیو درخت کے تنے پر بیٹھا ہوا ۔ ہمپٹی ڈمپٹی ہوا میں اُڑا اور پھر دو ٹکڑوں میں ٹوٹ گیا ۔ اس کے آگے آگے اماں بطخ اور اُودا زرافہ بھی تھا ۔

لیکن سب سے زیادہ خرگوش تھے اِدھر اُدھر گرتے ہوئے ۔ جنگلی خرگوش ، سفید خرگوش اور خرگوش جو ہیٹ پہنے ہوئے تھے ۔

There were princes and princesses, fairies and frogs. Then, a wolf and three pigs and a troll on a log. Humpty Dumpty went flying and then broke in half, behind Mother Goose and a purple giraffe. But most of all there were rabbits, falling this way and that. Wild rabbits and white rabbits and rabbits with hats.

مینا ان سب کے درمیان بیٹھی ہوئی تھی ، سکتے کے عالم میں ۔ وہ اپنی جگہ سے ہل بھی نہیں رہی تھی ۔ " میں سوچتی تھی کہ کتابوں میں صرف الفاظ ہوتے ہیں ، خرگوش نہیں ! " اس نے کہا اور اس کے ساتھ ساتھ چھ اور خرگوش اس کے قریب رکھی ہوئی کتاب میں سے لڑھکتے ہوئے باہر آئے ۔

اب حال یہ تھا کہ وہ یہ کمرہ بھی پہچان نہیں پا رہی تھی ۔ ہاتھی ایک کافی پینے کی میز پر کھڑا ہو کر چینی کی طشتریاں ہوا میں پھینک کر بار بار اُچک رہا تھا ۔ بندروں نے پردوں کو چیر پھاڑ کر رکھ دیا تھا اور ان کو لبادے کی طرح استعمال کر رہے تھے ۔

Meena sat there in the middle of it all, too surprised to move. "I thought books were full of words, not rabbits!" she said as six more came tumbling out of a book beside her.

By now, she couldn't recognise the room at all. The elephant was balancing on a coffee table juggling the good china plates. The monkeys had torn down the curtains and were using them as capes.

”رک جاؤ! “ مینا نے چیخ کر کہا ” واپس چلے جاؤ! “ لیکن وہاں اتنا شور و غل تھا کہ کسی نے مینا کو بولتے نہیں سُنا ۔ اس نے اپنے قریب والے خرگوش کو پکڑا اور اس کو ایک کھانا پکانے والی کتاب میں ٹھونسنے کی کوشش کرنے لگی ۔ لیکن مینا کی اس حرکت سے وہ اتنا ڈر گیا کہ وہ اس کے ہاتھ سے نکل کر دور بھاگ گیا۔

” اس طرح کام نہیں چلے گا ۔ “ مینا بولی ” مجھے یہ بھی نہیں معلوم کہ کون کس کتاب سے نکل کر آیا ہے ۔ “ اس نے کچھ دیر سوچا ۔ ” میں سمجھ گئی ۔ “ وہ بولی ” میں ہر ایک سے الگ الگ پوچھوں گی کہ ان کا تعلق کس کتاب سے ہے ۔ “

"Stop!" cried Meena. "Go back!" But there was so much noise that no one heard her speak. She grabbed the nearest rabbit and tried to stuff him into a cookbook, but that scared him so much he wriggled out of her grasp and ran away.

"This won't work," said Meena. "I don't know who belongs in which book." She thought for a minute. "I know," she said, "I'll just ask everyone where they belong."

COOKIN'
KIDS

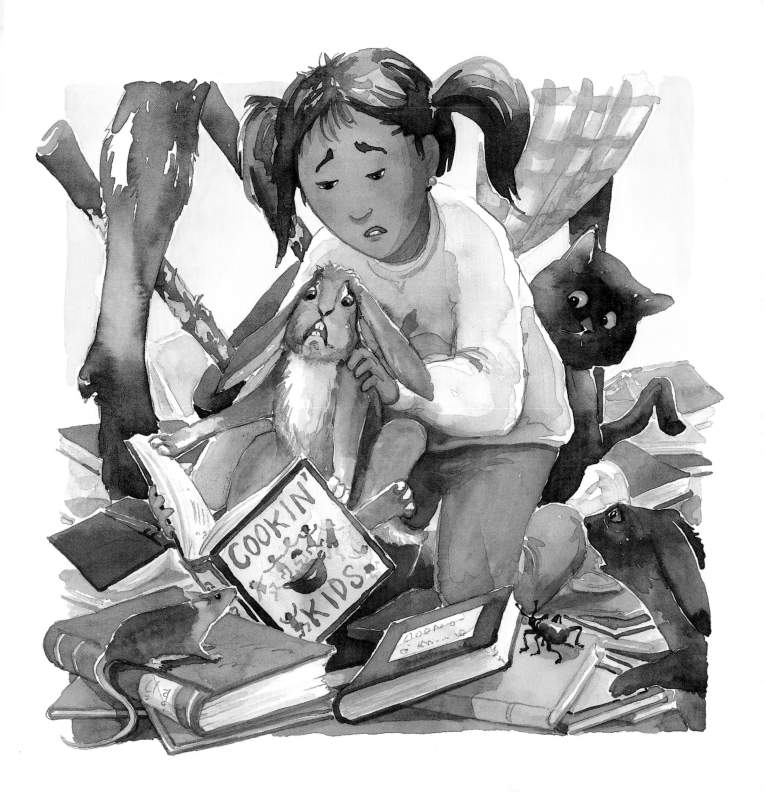

مینا کو ایک بھیڑیا ملا جو میز کے نیچے بیٹھا سسکیاں بھر رہا تھا۔ "مجھے اب یاد نہیں کہ میں لٹل ریڈ رائیڈنگ ہُوڈ سے آیا ہوں یا تین ننھے سور نامی کتاب سے!" اس نے ایک اور سسکی بھری اور میز پوش سے اپنی ناک پونچھی۔ لیکن مینا اس کی مدد نہیں کر سکی کیونکہ اس نے کبھی ان دونوں کتابوں کو پڑھا ہی نہیں تھا۔

پھر اس کو ایک خیال آیا۔ اس نے سب سے قریب پڑی ہوئی کتاب کو اُٹھایا اور اونچی آواز میں پڑھنے لگی۔ "ایک زمانے میں،" اس نے شروع کیا "ایک دور دراز علاقے میں . . . "

Meena found a wolf sobbing under the table. "I can't remember if I'm from *Little Red Riding Hood* or *The Three Little Pigs*!" he wailed and blew his nose on the tablecloth. But Meena couldn't help him because she had never read either story.

Then she had another idea. She picked up the nearest book and began to read aloud. "Once upon a time," she began, "in a land far far away…"

آہستہ آہستہ سب جانور اور انسان اچھل کود روکنے لگے اور باتیں بھی کم کر دیں ۔ وہ مینا کے قریب،
اور قریب کھسکنے لگے تاکہ سُن سکیں کہ آگے کیا ہوا ۔ جلد ہی وہ سب مینا کے چاروں طرف بیٹھے
ہوئے تھے اور اس کو کہانی پڑھتے ہوئے سُن رہے تھے ۔ جب وہ دوسرے صفحے کے شروع
حصے میں پہنچی تو تینوں سؤر اچھل پڑے "یہ ہماری کہانی ہے !" وہ چیخے "یہ صفحہ ہمارا ہے !"
وہ مینا کی گود میں کُود کر بیٹھے اور پھر اس کتاب میں غائب ہو گئے۔

ایک ایک کر کے وہ تمام کتابیں پڑھتی رہی اور ایک ایک کر کے سب انسان اور جانور اپنی اپنی
کتاب میں سما گئے ۔

Slowly, the creatures stopped jumping and chattering. They crept closer and closer to hear what happened next. Soon they were all sitting around Meena, listening to her read. When she reached the top of the second page, the pigs jumped up. “That’s us!” they cried. “That’s our page!” They leapt onto her lap and disappeared into the book.

One by one she began reading all her books, and one by one everyone found out where they belonged.

یہاں تک کہ صرف ایک چھوٹا سا خرگوش کمرے میں رہ گیا اس نے نیلے رنگ کا کوٹ پہنا ہوا تھا۔
" ہو سکتا ہے یہ خرگوش میں اپنے پاس ہی رکھ سکوں " اس نے سوچا۔ اب جبکہ سب لوگ
واپس چلے گئے تھے وہ بہت تنہائی محسوس کر رہی تھی۔ لیکن وہ ننھا خرگوش اپنے گھر جانا چاہ رہا تھا۔
لہٰذا ایک ٹھنڈی آہ بھر کے مینا نے آخری کتاب کھولی اور خرگوش کود کر اس میں چلا گیا۔
گھر میں خاموشی چھائی ہوئی تھی۔ " اب میں ان سب کو کبھی نہیں دیکھ سکوں گی۔ کسی کو بھی
نہیں! " وہ بولی لیکن پھر دفعتاً اس کو خیال آیا کہ وہ ساری کتابیں تو ابھی بھی اس کے اردگرد
پڑی ہوئی ہیں۔ مینا کے چہرے پر مسکراہٹ کھل اٹھی۔

At last, there was just one little rabbit in a blue coat left in the room. “Maybe I could keep this rabbit with me,” she thought. She was feeling lonely now that everyone else had gone. But the little rabbit wanted to go home. So, with a big sigh, Meena opened the last book and the rabbit hopped in.

The house was quiet. “Now I’ll never see any of them again!” she said, but then she realised that all the books were still there lying around her. Meena started to smile.

جب اس کے والدین گھر واپس آئے تو ان کو اپنی آنکھوں پر یقین نہیں آیا۔ اس لئے نہیں کہ کمرہ کباڑ خانہ بنا ہوا تھا۔ بلکہ اس وجہ سے کہ کمرے کے عین درمیان میں مینا بیٹھی ہوئی ایک کتاب پڑھ رہی تھی۔

When her parents came home they couldn't believe their eyes. Not because the room was a mess. But because there, sitting in the middle of the room, was Meena, reading a book.